Biographies

Héros de chez nous

Pour tous nos jeunes... nos héros de demain.
– M.T.

Crédits photographiques

Page 9 : Maison de Laura Secord à Chippawa, Ontario, 1903 (Archives du ministère de l'Éducation de l'Ontario, RG 2-71, J-8. I0004205) (teintée)
Page 11 : Billy Bishop Heritage Museum, Owen Sound, Ontario
Page 12 : Archives nationales du Canada, Henry Henderson, Portrait de William A. « Billy » Bishop, cadet au CMR à Kingston, vers 1914, PA-203478
Page 17 : Archives nationales du Canada, William Rider-Rider, Billy Bishop, PA-001654
Page 18 : Reproduite avec la permission du ministère des Anciens Combattants, 2003
Page 19 : Billy Bishop Heritage Museum, Owen Sound, Ontario
Page 21 : Archives de la C.-B., B-06795
Page 25 : Archives de Glenbow, NA–1641-1 (en haut); Archives de la C.-B., E-06014 (en bas)
Page 27 : Archives de Glenbow, NA-2204-12 (en haut à gauche); NA-5395-4 (en bas à gauche); NA-1514-3 (au centre); NA-273-3 (en haut à droite); NA-2607-7 (en bas à droite)
Page 29 : Banting & Best Department of Medical Research, University of Toronto
Page 34 : Maison Banting, Lieu historique national, London, Ontario
Page 35 : Maison Banting, Lieu historique national, London, Ontario
Page 36 : London Life-Portnoy/Temple de la renommée du hockey
Page 37 : Temple de la renommée du hockey
Page 41 : Doug MacLellan/Temple de la renommée du hockey
Page 44 : Dave Sandford/LIHG/Temple de la renommée du hockey
Page 45 : Temple de la renommée du hockey (photo recadrée et manipulée)

Page 30 : Illustration de Paul Dotey

L'auteure aimerait remercier Frank Smith, dont les observations sur Billy Bishop lui ont été des plus précieuses, et Eric Zweig, qui a su faire la lumière sur certains aspects plus pointus du hockey.

Catalogage avant publication de la Bibliothèque nationale du Canada

Trottier, Maxine
Héros de chez nous / Maxine Trottier ; illustrations de Mark Thurman ;
traduction de Claude Cossette.

Traduction de: Canadian greats.
ISBN 0-7791-1404-3

1. Canada--Biographies--Ouvrages pour la jeunesse. I. Cossette, Claude
II. Thurman, Mark, 1948- III. Titre.

FC25.T7614 2003 j971'.009'9 C2003-901266-2
F1005.T7614 2003

Édition publiée par Les éditions Scholastic,
175 Hillmount Road, Markham (Ontario) L6C 1Z7 CANADA.

6 5 4 3 2 1 Imprimé au Canada 03 04 05 06

Biographies

Héros de chez nous

Maxine Trottier

Illustrations de
Mark Thurman

Texte français de
Claude Cossette

Laura Secord

Une femme de courage

La guerre n'a rien d'anormal pour Laura Ingersoll. Née le 13 septembre 1775 à Great Barrington, au Massachusetts, elle passe le début de son enfance en plein cœur de la Révolution américaine. Son père, Thomas, devient capitaine, puis major dans la milice du Massachusetts. Quand la guerre prend fin en 1783, la paix n'apporte pas le bonheur dans la vie de Laura. Sa mère, Elizabeth, meurt cette année-là, laissant derrière elle Laura et ses deux jeunes sœurs.

Son père se remarie en 1784, mais sa nouvelle femme meurt au bout de quatre ans. Il ne tarde pas à prendre une troisième épouse, et une nouvelle belle-mère, Sara, entre dans la vie de Laura.

En 1795, la famille compte 11 enfants; Laura a maintenant quatre frères et six sœurs qu'elle aide à élever. Son père, qui n'est pas d'accord avec les politiques du gouvernement des États-Unis, décide d'emmener sa famille dans le Haut-Canada, où on lui donne une parcelle de terrain près de Queenston, non loin de la rivière Niagara.

C'est à la taverne de son père que Laura fait la rencontre de James Secord, un marchand prospère et un sergent bénévole dans la Première Milice Lincoln. Ils se marient deux ans plus tard. En 1812, Laura et James mènent une vie confortable dans leur maison blanche à ossature de bois, où deux servantes les aident à élever leurs cinq enfants. L'entreprise de James, spécialisée dans la vente d'objets ménagers et de vêtements, fonctionne bien.

Puis la guerre éclate une fois de plus entre l'Angleterre et les États-Unis. Cette fois, le Canada, qui est une colonie britannique, y participe. En octobre, lorsque les Américains attaquent Queenston Heights,

Laura emmène les enfants chez son frère à St. David's. S'inquiétant du sort de James, elle retourne à Queenston, pour apprendre qu'il a été gravement blessé. Elle le trouve sur le champ de bataille, étendu parmi les morts et les blessés, une jambe déchiquetée. Comme leur maison a été vandalisée au cours de la bataille, Laura emmène James à St. David's, où les enfants attendent en sécurité.

Au printemps 1813, les Secord retournent à Queenston. Maintenant, toutefois, les Américains ont le contrôle du côté canadien de la rivière Niagara. Tous les hommes valides sont faits prisonniers de guerre et envoyés aux États-Unis, mais, comme James n'est pas encore rétabli, on fait une exception et on lui permet de rester chez lui.

Le 21 juin, des officiers américains se trouvent dans

la maison des Secord; il se peut qu'ils aient commandé un repas ou qu'ils cantonnent là pendant quelque temps. Tandis qu'elle leur sert à souper, Laura entend le colonel Boerstler dire à ses compagnons que son armée va attaquer les Britanniques et le colonel James FitzGibbon à Beaver Dam.

Laura sait qu'il faut avertir les Britanniques, mais James ne peut pas accomplir cette tâche, car une balle de

mousquet est toujours logée dans son genou. C'est une mission dangereuse; des loups, des ours et des serpents à sonnette peuplent la campagne sauvage. Pire encore, si Laura est attrapée, elle sera considérée comme une espionne et sera exécutée. Pourtant, elle sait qu'elle doit parler au colonel FitzGibbon.

Laura raconte donc aux officiers américains qu'elle doit aller à St. David's voir son frère qui est malade; on lui remet un laissez-passer l'autorisant à sortir après le couvre-feu. Le jour suivant, le 22 juin, Laura part seule avant le lever du soleil. Lorsqu'elle arrive chez son frère, la jeune fiancée de ce dernier, Elizabeth, lui propose de l'accompagner.

Par une chaleur accablante, les deux femmes traversent la campagne à pied, passent par le marécage Black Swamp et suivent le ruisseau, afin d'éviter les routes principales et les soldats américains qui montent la garde. À midi, elles atteignent l'escarpement de Niagara. Elizabeth, complètement exténuée, ne peut pas aller plus loin; Laura la laisse donc dans une ferme locale et continue seule.

Elle a perdu un de ses souliers dans le marécage et l'autre, en traversant le ruisseau Ten Mile. Elle atteint le sommet de l'escarpement; ses pieds en sang sont

enveloppés de bandes qu'elle a déchirées de son jupon. Ne sachant pas où se trouve la maison de FitzGibbon, elle marche dans les bois en trébuchant. Elle s'arrête soudain. Elle est entourée de Mohawks, les alliés autochtones des Britanniques. Laura réussit à les convaincre de l'emmener chez le colonel FitzGibbon. Dix-huit heures et 32 kilomètres après le début de son long périple, Laura peut finalement transmettre l'avertissement.

Deux jours plus tard, le colonel FitzGibbon est prêt. Cinquante soldats britanniques et plusieurs centaines de guerriers mohawks encerclent les Américains dans la bataille de Beaver Dam. Le colonel Boerstler et son armée se rendent et sont faits prisonniers. La péninsule du Niagara est sauvée.

Pendant très longtemps, le geste courageux de Laura n'a pas été reconnu. Après la guerre, James et Laura vont déposer plusieurs requêtes demandant une récompense financière ou un emploi pour Laura, mais sans succès. James meurt en 1841 et Laura reste sans le sou. En 1860, Albert Édouard, prince de Galles, visite le Canada et on lui présente Laura. Il lit son récit des événements et est si impressionné qu'il lui envoie, par la suite, un cadeau de 100 souverains d'or.

Laura Ingersoll Secord meurt à l'âge de 93 ans. Elle est enterrée aux côtés de son mari, au cimetière Drummond Hill, à Lundy's Lane, en Ontario. Sa maison de Queenston est maintenant un musée – un hommage qui rend justice à cette courageuse Canadienne.

Maison de Laura Secord à Chippawa, Ontario (photo prise en 1903)

Billy Bishop

Le faucon solitaire

En Angleterre, un jour de juillet 1915, Billy Bishop regarde un biplan se poser un court instant dans un champ, le pilote cherchant à se repérer. Cette journée va changer le cours de sa vie.

William Avery Bishop est né à Owen Sound, en Ontario, le 8 février 1894. Ses parents, William et Margaret, sont conscients que leur fils devra travailler très fort pour réussir à l'école, mais Billy s'intéresse plus aux sports et il aime s'amuser. Il a un talent naturel pour l'équitation et la natation – des choses qu'il fait seul. Il est aussi courageux, ce qui lui vaut le respect de ses camarades de classe.

Billy et sa jeune sœur Louie ont toujours eu beaucoup d'affinités. À l'école secondaire, elle le persuade de sortir avec quelques-unes de ses amies. L'une d'entre elles, Margaret Burden, est la petite-fille de Timothy Eaton, le millionnaire qui possède le grand magasin. Billy tombe immédiatement amoureux d'elle.

Quand il atteint l'âge de 17 ans, ses parents l'envoient au Collège militaire royal du Canada, à Kingston. Son frère aîné y a été un brillant élève, mais Billy, lui, éprouve de la difficulté avec les sports d'équipe et les cours. De plus, il a du mal à se soumettre à la discipline du collège. Mais à la fin de sa troisième année, des événements du monde extérieur viennent soudain interrompre ses études.

Billy, vers 1914, alors qu'il était cadet au CMR à Kingston

Le 28 juillet 1914, l'Autriche-Hongrie déclare la guerre à la Serbie. Puis le 3 août, l'Allemagne déclare la guerre à la France; le lendemain, c'est au tour de la Grande-Bretagne d'entrer en guerre contre l'Allemagne. C'est le début de la Première Guerre mondiale.

Le Canada annonce alors qu'il soutient la Grande-Bretagne. Billy abandonne donc le collège et est mis en service dans un régiment de cavalerie de la 2e Division du Canada : le Mississauga Horse of Toronto. À sa grande déception, il est hospitalisé pour une pneumonie quand le Corps expéditionnaire canadien part pour l'Angleterre; toutefois, cela signifie qu'il ne sera pas parmi les nombreux cavaliers qui perdront la vie en France, en se lançant à l'assaut de tranchées défendues par des mitrailleuses allemandes.

Billy est assigné au 7e bataillon canadien de fusiliers à cheval, qui reçoit sa formation à London, en Ontario. Avant de partir pour l'Angleterre, il demande Margaret Burden en mariage. Elle accepte.

La traversée de l'Atlantique sur le bateau à bestiaux *Caledonia* est pénible. Le temps est orageux, les hommes ont le mal de mer et ils se sentent menacés par les sous-marins allemands qui les épient sous les vagues. Une fois en

Angleterre, Billy a de nouvelles aspirations; il ne veut pas servir à cheval. En effet, la vue du biplan atterrissant dans un champ l'a convaincu de prendre une autre direction : « Pour moi, il n'y avait qu'un endroit où aller par une journée comme celle-là : au-dessus des nuages et dans le soleil d'été. C'est comme ça que j'allais me battre. J'allais rencontrer l'ennemi dans les airs. »

Billy devient membre du Royal Flying Corps à titre d'observateur et, le 1er janvier 1916, son escadron est déplacé en France. Il se blesse au genou lors d'un atterrissage forcé et retourne en Angleterre, où il poursuit son entraînement; c'est là qu'il obtient son brevet de pilote et est promu capitaine. Le 9 mars 1917, il arrive à Filescamp Farm, base du 60e Escadron en France.

L'avion qu'il va piloter est le monoplace Nieuport 17 Scout, un biplan similaire à celui qu'il a aperçu deux ans auparavant. Billy n'a pas le toucher léger nécessaire pour piloter le Nieuport; il fait donc de nombreux atterrissages en catastrophe, dont un devant plusieurs importants dignitaires en visite. On lui annonce, par la suite, qu'il doit retourner en Angleterre et poursuivre son entraînement.

Mais le jour suivant, Billy et quatre autres pilotes attaquent trois avions allemands. Dans une pluie de projectiles, Billy poursuit un des avions. Au moment où ce dernier s'écrase au sol, Billy réussit à redresser son propre avion qui piquait du nez. Puis son moteur

s'éteint. Forcé d'atterrir en vol plané à 300 mètres des tranchées allemandes de première ligne, Billy passe la nuit pelotonné près de son avion.

De retour à Filescamp, Billy ne craint plus d'être renvoyé en Angleterre. Au contraire, c'est pour lui le début d'une remarquable série de victoires aériennes. Tandis que la plupart des pilotes sont envoyés en mission pour quelques jours, Billy pilote des avions au cœur du danger pendant des mois sans s'arrêter. À l'âge de 23 ans, Billy Bishop est un as du pilotage, qu'on appelle « le faucon solitaire » parce qu'il préfère les missions en solo.

Les médailles affluent de la Grande-Bretagne et de la France. En juin 1917, il reçoit l'Ordre du service distingué, en reconnaissance de son courage remarquable et de son dévouement : aux commandes d'un monoplace, il a attaqué trois appareils ennemis, dont deux qu'il a abattus tandis qu'il était lui-même

Billy Bishop dans un avion Nieuport du Royal Flying Corps

attaqué par quatre autres avions. Son courage et sa détermination sont un exemple à suivre. Deux mois plus tard, on lui remet la Croix de Victoria pour sa bravoure, sa détermination et ses compétences des plus remarquables lors d'une mission au cours de laquelle il a fait un raid en solitaire contre un terrain d'aviation allemand.

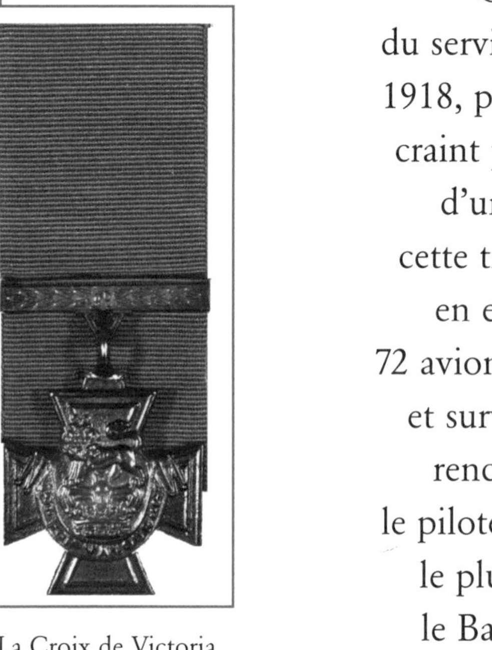

L'Ordre du service distingué

La Croix de Victoria

On le retire du service actif en 1918, parce qu'on craint pour la vie d'un pilote de cette trempe; il a en effet abattu 72 avions ennemis et survécu à une rencontre avec le pilote allemand le plus redouté, le Baron rouge. Cette même année, il publie ses souvenirs de guerre dans un livre intitulé *Winged Warfare*.

En 1928, Billy Bishop est l'invité d'honneur d'un rassemblement d'as de l'air allemands qui se tient à Berlin. Même s'il a été un ennemi redoutable, il est élu membre honoraire de leur association en reconnaissance de son audace. Au cours de la Seconde Guerre mondiale, Billy sera le directeur du recrutement pour l'Aviation royale du Canada.

Billy s'éteint le 11 septembre 1956. Il a su faire

preuve, au combat, d'un courage hors du commun que son fils appelle « le courage du petit matin ». Il a été un véritable héros canadien du ciel.

Maison d'enfance de Billy à Owen Sound, maintenant devenue le Billy Bishop Heritage Museum

Nellie McClung
L'artisane du changement

Nellie Mooney est née près de Chatsworth, en Ontario, le 20 octobre 1873, la cadette de six enfants. Elle a sept ans lorsque ses parents décident de vendre leur ferme et de s'installer à Souris Valley, au Manitoba. Nellie a une nature autonome et énergique. Toute jeune, elle avait attendu impatiemment un pique-nique du village parce qu'elle croyait pouvoir participer à une course pour les filles. Mais le jour venu, on a refusé d'organiser cette course, parce que les longues jupes des filles auraient pu se soulever. En effet, il leur était interdit de montrer leurs chevilles et leurs jambes. « Je voulais savoir pourquoi, écrira-t-elle plus tard, mais on m'a fait taire. »

Occupée à aider aux travaux de la ferme, Nellie ne va pas à l'école avant l'âge de dix ans. Mais cela ne refroidit pas son désir d'apprendre. Elle développe rapidement des opinions bien arrêtées sur la politique et sur le monde. Très jeune, elle accorde une grande importance à la justice.

En 1889, elle décide de devenir enseignante et se rend à Winnipeg pour suivre un programme de formation de cinq mois. Nellie reçoit son diplôme d'enseignante et, à 16 ans, enseigne les huit niveaux dans une petite école d'une seule classe. Elle joue quelquefois au football avec ses élèves à la récréation. Au début, les parents ne sont pas d'accord, mais, avec le temps, elle finit par les convaincre qu'elle ne fait aucun mal. L'année suivante, elle enseigne à Manitou et vit en pension chez le révérend James McClung, dont la femme Annie exerce une profonde influence sur Nellie. Elle lui fait connaître la Société de tempérance des dames, un organisme de femmes qui se préoccupe des problèmes que l'alcool peut causer aux familles. Nellie en vient à croire, comme elles, qu'il faut éviter de consommer de l'alcool.

Une autre personne de la famille McClung produit une forte impression sur Nellie; il s'agit du fils d'Annie, un pharmacien du nom de Wesley. Elle l'épouse en 1896, après cinq années de fréquentation, et abandonne l'enseignement.

Cependant, d'autres carrières l'attendent. Elle devient la mère de cinq enfants. Elle écrit aussi. En 1908, elle publie son premier roman, *Sowing Seeds in Danny*, qui sera pendant longtemps un succès de librairie au Canada. Elle écrira 16 livres qui seront tous populaires. Nellie devient également une grande conférencière et une politicienne.

Mais on se souvient surtout de Nellie en raison de la lutte qu'elle a menée pour les droits des femmes.

Nellie et sa famille s'installent à Winnipeg en 1911; c'est là qu'elle devient ce qu'on appelle une suffragette. Profondément religieuse et dévouée à son propre mari et à ses enfants, elle voit bien la vie difficile que mènent les femmes et les enfants. Beaucoup connaissent la pauvreté, le surmenage et les problèmes causés par l'alcool. « Ce qui anime le mouvement des suffragettes, écrit-elle, est une sympathie et un intérêt envers les autres femmes, et le désir que le monde soit un meilleur endroit où vivre. »

Nellie commence à faire la lecture de ses livres en public. Puis elle se met à donner des conférences, où elle

Beaucoup de femmes connaissent la pauvreté et le surmenage.

captive ses auditeurs en leur parlant de la tempérance et des droits des femmes. Quand, en 1914, elle déménage avec sa famille en Alberta, elle est devenue une championne du suffrage des femmes. Sachant très bien que les femmes pourront exercer une influence sur la vente de l'alcool si elles ont le droit de vote, Nellie et d'autres suffragettes entreprennent une lutte pour que les femmes obtiennent ce droit. En 1916, grâce à leur travail, les femmes albertaines – ainsi que celles

O. I. SAY
TOWN HALL
To-Night
JULY 7th 8 p. m.

Will be the scene of the greatest rally to hear

NELLIE McCLUNG

ever experienced in Macleod

She is acknowledged Canadas greatest entertainer and oratoress and will be heard in her best form on the much discussed **Drink Question**

You can't afford to miss hearing
NELLIE McCLUNG
COME EARLY AND SECURE A SEAT

Publicité pour un discours public à Fort Macleod, Alberta

de la Saskatchewan et du Manitoba – obtiennent le droit de voter et de se présenter aux élections. La Colombie-Britannique emboîte le pas en 1917. Les choses commencent à changer.

Le 18 juillet 1921, Nellie est élue membre de l'Assemblée législative de l'Alberta; seulement deux femmes avant elle ont fait partie d'un gouvernement provincial au Canada. Elle poursuit son travail de défense des droits des femmes.

En 1928, les femmes de toutes les provinces, sauf du Québec, ont le droit de voter, mais elles ne peuvent toujours pas être nommées au Sénat parce qu'une femme n'est pas considérée comme une personne. Mais une femme est une personne, non? Nellie le croit, elle. Elle s'allie donc à quatre autres femmes – on les appellera les *Famous 5* – pour demander à la Cour suprême du Canada d'expliquer la loi. Quand la cour statue que le terme « personne » ne comprend pas les « personnes de sexe féminin », les *Famous 5* ne sont pas satisfaites. Elles portent ce qui deviendra l'affaire « personne » jusqu'à la plus haute cour d'appel du Canada, à Londres, en Angleterre. Le 18 octobre 1929, le Conseil privé de Grande-Bretagne statue que les femmes sont des personnes en vertu de la loi. Elles peuvent donc faire partie du Sénat du Canada.

Une importante victoire vient d'être remportée pour

Les *Famous 5*

toutes les femmes canadiennes. Mais cette victoire ne plaît pas à tout le monde. Nellie, croyant fermement en ce qui a été accompli, dira plus tard : « Il ne faut jamais reculer, jamais expliquer, jamais s'excuser – faisons les choses et laissons-les hurler ».

Nellie McClung meurt chez elle, à Victoria, en Colombie-Britannique, le 1er septembre 1951. On peut lire sur sa pierre tombale : *Aimée et toujours présente dans notre mémoire*. Son nom demeure – il est un puissant symbole canadien de la lutte des femmes pour l'égalité et pour une vie meilleure.

Sir Frederick Banting

Un héros de la science

En 1922, à Toronto, Leonard Thompson, âgé de 14 ans, se meurt d'une maladie appelée le diabète. Personne ne comprend vraiment cette maladie. Les scientifiques n'ont toujours pas réussi à percer son mystère. Leonard ne sait pas encore qu'il fera partie d'une expérience qui changera le monde et que le Dr Frederick Banting en sera responsable.

Frederick Banting est né sur la ferme familiale à Alliston, en Ontario, le 14 novembre 1891. Il était le dernier de six enfants. Il n'a pas toujours voulu être médecin; il a d'abord étudié pour devenir pasteur, puis s'est tourné vers la médecine. La Première Guerre mondiale éclate pendant qu'il est à l'université. Frederick Banting s'enrôle dans le corps médical de l'Armée canadienne en 1916. Deux ans plus tard, il est blessé en France, dans la bataille de Cambrai. En 1919, il reçoit la Croix militaire pour héroïsme sous le feu de l'ennemi.

À la fin de la guerre, le Dr Banting retourne au Canada et commence à pratiquer la médecine à London, en Ontario. C'est là qu'il lit un article sur un organe appelé le pancréas et qu'une idée lui vient à l'esprit.

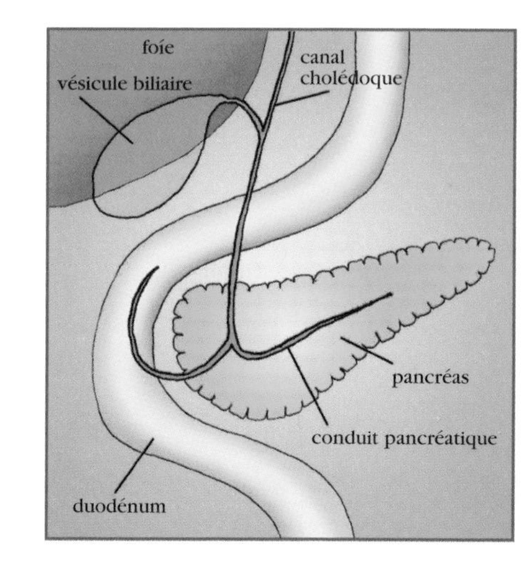

Pour les scientifiques, il est certain que le diabète est lié au pancréas, mais ils ne savent pas vraiment comment. Un pancréas en santé semble sécréter une substance qui aide le corps à utiliser les sucres. Par contre, un pancréas malade ne le fait pas et les sucres s'accumulent dans le corps, entraînant le diabète, puis, inévitablement, la mort. Si cette substance pouvait être recueillie, puis injectée dans le sang des personnes diabétiques, il pourrait être possible de traiter la maladie.

« Mais comment recueillir cette substance? » se

demande le Dr Banting. Peut-être qu'en bloquant le conduit pancréatique – un tube qui ressemble à une veine –, on pourra isoler le pancréas et emprisonner la substance à l'intérieur.

Il soumet son idée au professeur John Macleod, un physiologiste de renom qui travaille à l'université de Toronto. Ce dernier voit la pertinence de l'étude que le Dr Banting lui propose. Lorsque le professeur part en vacances à l'été 1921, il fournit au Dr Banting un laboratoire et un assistant de recherche, un étudiant de médecine qui s'appelle Charles Best.

Les expériences médicales ne peuvent pas se faire sur des êtres humains; mais comme tous les mammifères ont un pancréas, l'étude est réalisée sur des animaux de laboratoire. On utilise des chiens qui sont hébergés dans le chenil bien entretenu du laboratoire. Le Dr Banting opère un chien et ligature le conduit de son pancréas. La taille du pancréas diminue, puis, au cours d'une seconde opération,

le docteur retire l'organe atrophié. Sans son pancréas, le chien devient diabétique. Le Dr Banting moud le pancréas, ajoute une solution saline, filtre le mélange et l'injecte au chien. Lorsque Charles Best vérifie le taux de sucre dans l'urine et le sang du chien, il constate que l'injection a fonctionné. Grâce aux injections, les deux chercheurs réussissent à garder en vie, pendant 70 jours, une chienne appelée Marjorie.

Ni le Dr Banting ni Charles Best ne sont payés pour le travail qu'ils font. Ils deviennent des pique-assiettes. Le Dr Banting vend même sa voiture et emprunte de l'argent à ses frères et à son père. Mais les deux hommes sont déterminés à poursuivre leurs recherches.

Lorsque le professeur Macleod revient de vacances en septembre, il est impressionné. Cependant, avant que la substance puisse être utilisée sur des humains, il faudra continuer à faire des expériences et trouver une source pour s'en procurer. Le Dr Banting a l'idée d'utiliser les pancréas de veaux mort-nés. On demande à un biochimiste, le Dr James Collip, d'aider le professeur Macleod à purifier la substance, qu'ils appellent insuline. Le Dr Banting et Charles Best testent d'abord l'insuline sur eux-mêmes.

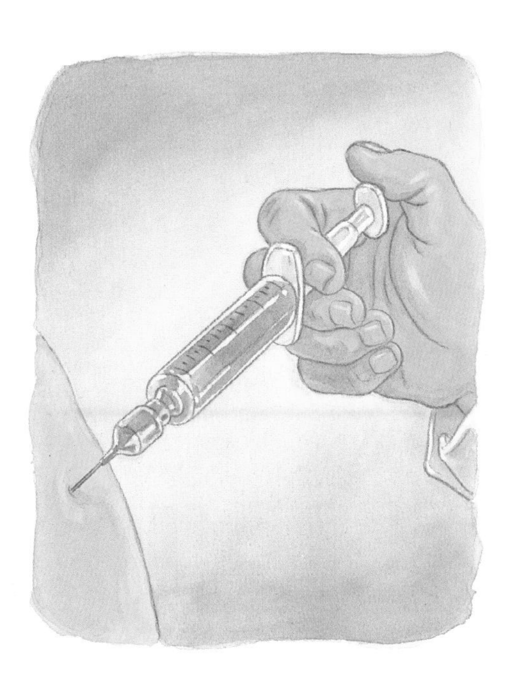

Le 23 janvier 1922, le Dr Banting injecte, pour la toute première fois, deux doses de l'épaisse boue brunâtre à un être humain atteint du diabète. Il s'agit de Leonard Thompson, qui a été hébergé par charité au Toronto General Hospital. Il pèse alors 29 kilos seulement et ses jours sont comptés. Cependant, les résultats sont décevants. On lui fait alors une injection de l'insuline raffinée du Dr Collip; cette fois, les résultats sont immédiats. Le taux de sucre dans le sang de Leonard diminue et le jeune garçon se met à prendre du poids. Le Dr Banting est convaincu qu'on peut maintenant contrôler le diabète.

En mars, on peut lire en gros titre, sur la première page du *Toronto Daily Star* : « Des médecins torontois en voie de découvrir un traitement contre le diabète. » Les besoins en insuline sont cependant si grands qu'on ne pourra répondre à la demande que l'année suivante.

Le 26 février 1923, le prix Nobel de médecine est décerné au Dr Banting et au professeur Macleod. Pour le Dr Banting, la reconnaissance accordée au professeur Macleod est injuste, car ce dernier n'a pas participé à la découverte. Il partage donc sa moitié du prix en argent avec Charles Best. Le professeur Macleod, lui, partage la sienne avec le Dr Collip.

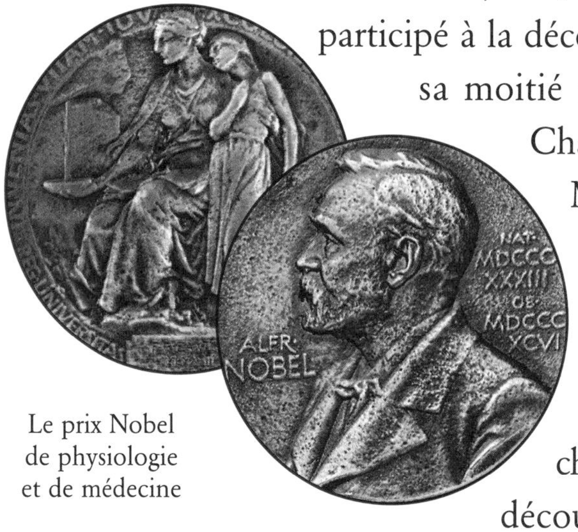

Le prix Nobel de physiologie et de médecine

Puis, en 1934, le Dr Banting est fait chevalier pour sa brillante découverte, qui sauvait déjà la vie d'un grand nombre de diabétiques partout dans le monde.

Lorsque la Seconde Guerre mondiale éclate, le Dr Banting sert comme officier de liaison entre les services médicaux britanniques et nord-américains. Mais le 21 février 1941, l'avion qui l'emmène en Angleterre s'écrase à Terre-Neuve. Le Dr Banting meurt. Sa tombe est au cimetière Mount Pleasant, à Toronto, non loin de celle de Charles Best.

La Maison Banting, à London, est consacrée lieu historique national; c'est là où Frederick Banting a commencé à rêver d'un traitement contre le diabète. À l'extérieur se trouve un cairn sur lequel brûle la flamme de l'espoir. Les travaux exceptionnels du Dr Banting ont donné au monde un traitement contre cette maladie mortelle. Le jour où l'on découvrira un remède contre le diabète, on éteindra la flamme. C'est dans cet espoir que la recherche sur le diabète se poursuit.

La flamme de l'espoir

Wayne à l'âge de 7 ans

Wayne Gretzky

La Merveille

Brantford, en Ontario, est une ville canadienne comme beaucoup d'autres, mais une chose la distingue des autres. Sous le panneau à l'entrée de la ville, on peut lire : *Ville natale de Wayne Gretzky.*

Né le 26 janvier 1961, Wayne Gretzky est le premier enfant de Walter et Phyllis Gretzky. Avant longtemps, il partage la maison de l'avenue Varadi – où ses parents vivent toujours – avec ses frères Keith, Brent et Glen, ainsi que sa sœur Kim. Les parents de Wayne sont d'avis que les sports sont importants et qu'en pratiquant un sport, les enfants acquièrent de la maturité et apprennent à travailler pour obtenir ce qu'ils veulent.

Très tôt, le hockey fait partie de la vie de Wayne. *La Soirée du Hockey* est un rituel le samedi soir chez ses grands-parents. Wayne enlève ses souliers et glisse sur

le plancher devant la télévision en frappant une balle de caoutchouc dans tous les sens avec un bâton de hockey miniature. Sa grand-mère, assise sur une chaise, fait le gardien de but. Quand Wayne a deux ans, sa mère lui achète ses premiers patins. Cet hiver-là, il apprend à patiner sur la rivière Nith, en aval de la ferme de ses grands-parents. Il apprend comme les autres enfants, c'est-à-dire en tombant, en se relevant et en tombant encore.

Bientôt, le père de Wayne entreprend chaque hiver la construction d'une grande patinoire dans la cour arrière. Il en a assez de grelotter dans la voiture pendant que Wayne continue de jouer au hockey bien après que les autres enfants sont rentrés chez eux. Il surnomme la patinoire « le colisée de Wally ».

À l'âge de six ans, Wayne commence à jouer au sein de l'équipe locale de Brantford, dans une ligue de hockey pour les jeunes de dix ans. Il marque son premier but au cours de la saison 1967-1968. Il est alors tellement petit qu'il disparaît lorsque les autres joueurs l'entourent pour le féliciter.

À 16 ans, Wayne vit loin de chez lui. Il fait partie des Greyhounds de Sault Ste. Marie, une équipe de hockey junior. Après 64 parties, sa fiche indique 70 buts et 112 passes. Il porte le numéro 99 pour la toute première fois. Le jeune Gretzky est en voie de devenir le numéro un de l'histoire du hockey.

L'automne suivant, Wayne entreprend sa carrière professionnelle avec les Racers d'Indianapolis. Au cours de cette même saison, il est échangé aux Oilers d'Edmonton, avec lesquels il restera 10 ans. Pendant ces

années, il révèle son talent extraordinaire et mène la formation à la coupe Stanley en 1984, 1985, 1987 et 1988. Puis sa carrière prend un tournant surprenant : le héros du hockey canadien est échangé aux Kings de Los Angeles. Il jouera ensuite pour les Blues de St. Louis et, finalement, pour les Rangers de New York.

Wayne a reçu le trophée Hart, décerné au joueur jugé le plus utile à son équipe, de 1980 à 1987, ainsi qu'en 1989. On lui a également décerné, à dix reprises, le trophée Art Ross à titre de champion des marqueurs de la ligue – chaque année, de 1981 à 1987, puis en 1990, 1991 et 1994. À ce jour, il est le joueur qui a marqué le plus de buts (894), surpassant même le héros de sa jeunesse, Gordie Howe (801).

Wayne recevant le trophée Art Ross en 1990

C'est pendant qu'il joue pour les Oilers d'Edmonton que Wayne est surnommé « la Merveille ». Non seulement possède-t-il des qualités exceptionnelles, mais il est aussi un vrai joueur d'équipe. Il demeure d'ailleurs le champion en titre des passes sur but marqué (un total impressionnant de 1963 en saison régulière).

En plus des quatre coupes Stanley remportées avec les Oilers, Wayne a reçu cinq fois le trophée Lester B. Pearson (remis au joueur jugé le meilleur de la ligue par l'Association des joueurs de la Ligue nationale), cinq fois le trophée Lady Byng (décerné au joueur ayant démontré le meilleur esprit sportif), ainsi que plusieurs trophées et prix dans le cadre de matchs des étoiles et de tournois internationaux.

Wayne Gretzky est un joueur qui a beaucoup de style et d'imagination. Un soir, au cours d'une partie opposant les Oilers aux Blues de St. Louis, il marque un but de derrière le filet en faisant ricocher la rondelle sur le dos du gardien Mike Liut. Au cours de cette même partie, il marque directement d'une mise au jeu, à deux reprises.

Le père de Wayne, Walter, lui a toujours répété qu'il faut aller là où va la rondelle et non là où elle était. Il parlait du hockey, mais il aurait tout aussi bien pu parler de la vie : regarde en avant et non en arrière. C'est ce que Wayne fait toujours. Il joue son dernier match avec les Rangers de New York et quitte la glace à 16 h 15, le 18 avril 1999. La Merveille se retire, et on retire du même coup le numéro 99.

Le Temple de la renommée du hockey à Toronto n'attendra pas la période habituelle de trois ans avant de l'introniser. Sept mois plus tard, la famille de Wayne assiste fièrement à la cérémonie au cours de laquelle il est admis au Temple de la renommée. Il y a là une énorme exposition qui comprend tous les souvenirs que son père a amassés au fil des années. « Nous avons tout, sauf sa suce », déclare un des représentants du Temple.

En 2002, l'équipe masculine du Canada remporte la médaille d'or aux Jeux olympiques de Salt Lake City. Wayne est le directeur exécutif de l'équipe et son inspiration. Après la victoire, il n'oublie pas de demander le dollar canadien qui a été scellé sous la glace au centre de la patinoire, car il désire qu'il soit exposé au Temple de la renommée.

Wayne, dans le vestiaire des médaillés d'or à Salt Lake City, présentant le huard à Phil Pritchard, directeur des opérations et conservateur du Temple de la renommée du hockey

L'influence de Wayne Gretzky continue à se faire sentir. Sa grandeur ne tient pas seulement au fait qu'il est l'un des meilleurs joueurs de hockey de tous les temps, mais également à sa façon de concevoir le jeu. Wayne a toujours joué comme un gentleman et n'a jamais eu recours à la violence. Il a dit un jour : « J'analysais le jeu. J'ai toujours respecté les personnes contre qui j'ai joué. Et, à chaque partie, j'étais prêt à jouer. » Aujourd'hui, il joue un rôle humanitaire, car il aide les gens en travaillant pour plusieurs organismes de bienfaisance. Il sera toujours « la Merveille ».

La première paire de patins de Wayne

RANGERS